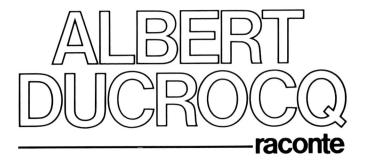

ALBERT DUCROCQ
raconte

toutes les énergies

Illustrations
de Sylvaine Pérols

Fernand Nathan

Albert Ducrocq raconte

Des jetons de silicium, exposés au soleil, produisent de l'électricité... Sous la terre, d'énormes machines attaquent les veines de charbon... Dans le ciel, des éoliennes géantes sont mises à l'épreuve... Des milliers de kilomètres de gazoducs courent à travers les continents... Demain, des avions voleront peut-être grâce à l'hydrogène...

Albert Ducrocq a réuni dans ce livre un passionnant dossier. Toutes les énergies, du pétrole à la biomasse, en passant par les centrales nucléaires ou thermo-marines, sont ici très clairement et très simplement expliquées. En multipliant les détails concrets et les exemples précis, en s'appuyant sur de très nombreuses illustrations (photographies, schémas, documents anciens...), Albert Ducrocq nous fait participer à l'une des plus grandes aventures techniques et scientifiques de notre temps.

Savez-vous ce qu'est un gisement de chaleur? Une photopile? Un surrégénérateur? Connaissez-vous les projets de centrales qui récupèreront l'énergie des vagues? Avez-vous déjà entendu parler des schistes bitumeux, du pétrole synthétique... et des plantes énergétiques? Faites-vous la bonne distinction entre la fission et la fusion nucléaires?

Ne répondez pas tout de suite. Et si vous n'êtes pas très sûr de vous, ne gaspillez pas votre « énergie cérébrale »... Gardez-la pour vivre ce pari de notre époque : de l'énergie en abondance, mais à condition de ne pas la gaspiller et de bien la choisir.

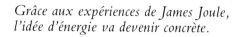
*Grâce aux expériences de James Joule,
l'idée d'énergie va devenir concrète.*

L'énergie, qu'est-ce que c'est ?

Lorsque vous soulevez un poids, lorsque vous faites tourner les pédales de votre bicyclette, vous dépensez de l'énergie. La chaleur que vous utilisez pour chauffer une casserole pleine d'eau, c'est aussi de l'énergie. La mer

*Une vague, c'est de l'énergie
à la surface de la mer.
Cette force restitue celle du vent.*

en furie, qui jette ses lames sur les rochers, illustre encore une autre manifestation de l'énergie.

Mais entre tous ces phénomènes, le lien n'apparaît pas toujours évident. La notion d'énergie demeura d'ailleurs très longtemps ignorée. Il fallut beaucoup de génie pour comprendre que, dans tous les cas, on se trouvait en présence d'un même facteur

d'animation, de mise en mouvement.

Ce génie, c'est un physicien écossais, fils d'un brasseur de bière, James Joule, qui l'eut peu avant 1850. Il se livra en effet à des expériences demeurées célèbres.

Des palettes et de l'eau

Ainsi, James Joule fit agiter l'eau contenue dans un récipient par des palettes qui tournaient grâce à la descente d'un poids. Il varia la masse du poids et la hauteur de sa chute afin de créer des travaux mécaniques différents. Et chaque fois, il mesura la quantité de chaleur produite par la simple action des palettes sur l'eau. Le résultat de ces diverses expériences ne laissa aucun doute. Joule constata que le rapport entre le travail et la chaleur était toujours le même, comme si l'un et l'autre n'étaient que deux formes d'une même réalité. Elle reçut le nom d'énergie.

Cette réalité, on le sait aujourd'hui, présente des aspects incomparablement plus variés que ce que l'on pouvait imaginer au siècle dernier. Aux côtés de l'énergie mécanique et de l'énergie calorifique, mesurées par James Joule, les physiciens connaissent en effet l'énergie électrique, magnétique, sonore, radiante, chimique... Mieux encore, ils savent comment elles peuvent se convertir totalement ou partiellement. Autrement dit, comment, avec de la lumière, on fabrique de l'électricité, avec de l'électricité, de la chaleur, etc. Cela est si vrai qu'on mesure l'énergie avec une seule et même unité, qui tout naturellement a reçu le nom de joule.

Le joule (J) est l'énergie qui communique à une masse de 500 grammes une vitesse de 1 mètre par seconde. Ou encore, c'est l'énergie qui soulève 1 kg à une hauteur de 10,2 cm. C'est donc l'énergie nécessaire pour accomplir un geste, une énergie à l'échelle humaine.

Longtemps, les physiciens ont mesuré l'énergie en kilogrammètres. Le kilogrammètre était, par définition, l'énergie qu'il faut dépenser pour soulever 1 kilogramme à une hauteur de 1 m. Cette unité avait l'avantage d'être très concrète, mais elle était relative : selon les lieux — sur la Terre et plus encore sur la Lune —, le poids du kilogramme varie, et la dépense d'énergie n'est donc pas la même. En pratique, le kilogramme vaut environ 9,8 J.

La machine à vapeur de Watt : une chaudière, un piston et une manivelle.

Un certain James Watt et sa machine

Lorsque les physiciens se sont intéressés à l'énergie, ils se sont employés à en découvrir les lois et les différents aspects. Mais dans ce domaine, comme dans beaucoup d'autres, la pratique avait devancé la théorie. Dans l'industrie, notamment, on construisait déjà des machines productrices d'énergie.

Le charbon sera la grande source d'énergie de la révolution industrielle, et de ses machines à vapeur, au XIXᵉ siècle.

La machine imaginée à la fin du XVIIIᵉ siècle par le mécanicien James Watt — Écossais comme Joule — avait en effet mis en marche la révolution industrielle. Il s'agissait d'une machine à vapeur, simple dans son principe. En brûlant du charbon, on faisait bouillir de l'eau dans une chaudière ; grâce à une canalisation, la vapeur ainsi obtenue arrivait dans un cylindre, où elle poussait un piston ; ce dernier faisait tourner une roue par l'intermédiaire d'une bielle et d'une

Le fardier de Cugnot :
la première automobile.
L'engin défonça un mur.
Nous sommes en 1771.

manivelle ; la canalisation était alors fermée grâce à une soupape dont ce piston provoquait le déplacement. Du coup, l'arrivée de la vapeur cessait. Mais avec la vitesse acquise, le piston remontait dans le cylindre, libérant ainsi la soupape et autorisant de nouveau l'admission de la vapeur. Un nouveau cycle débutait.

Vers la révolution industrielle

Cette machine ne présentait pas seulement un intérêt technique. En consommant du charbon, elle produisait un travail mécanique dans des conditions particulièrement avantageuses.

Watt, en effet, avait apporté un certain nombre d'améliorations aux machines à vapeur que des physiciens, tels Denis Papin ou Thomas Newcomen, avaient conçues avant lui. Et grâce à ces perfectionnements, il avait obtenu une énergie mécanique nettement plus importante. Ainsi, au lieu de demander à des hommes de fournir un gros effort physique, il devenait plus intéressant de les employer à fabriquer de telles machines pour qu'elles travaillent — plus efficacement — à leur place. Cela, les industriels le comprirent très

vite. Voilà pourquoi la machine de Watt s'imposa partout.

Avec la vapeur, domestiquée et produite à volonté, l'homme allait transformer la Terre. La révolution industrielle n'aurait pas été possible sans ces machines qui ont pu fournir aux usines une énergie de plus en plus importante. De 1780 à 1980, avec une régularité assez remarquable, la production d'énergie doubla pratiquement tous les vingt ans…

> Le nom de Watt a été donné à l'unité de puissance. Une machine a une puissance de 1 W si, chaque seconde, elle fournit une énergie de 1 J. Les *électriciens* furent les premiers à utiliser largement cette unité très pratique pour eux : si un appareil électrique branché sur le 220 volts consomme 3 ampères, vous calculez sa puissance en multipliant ces deux nombres : 220 × 3 = 660 watts.

D'où viennent le charbon et le pétrole du sous-sol ?

Comment se fait-il que l'homme, en creusant le sous-sol en certains endroits, découvrit le combustible appelé charbon ? N'est-ce pas tout à fait extraordinaire ?

Non ! Ce combustible est un fossile. Le corps que nous appelons charbon est essentiellement constitué par du carbone, c'est-à-dire par l'élément n° 1 de la vie. Cet élément, les

Ces grandes forêts « préhistoriques »
sont à l'origine du charbon.

plantes l'ont concentré en grandes quantités, singulièrement aux époques très lointaines où la Terre était couverte d'immenses forêts.

Or, à la suite de divers bouleversements géologiques, certaines de ces forêts se trouvèrent enfouies dans le sous-sol. Là, elles se décomposèrent lentement, laissant pour résidu beaucoup de carbone. Voilà comment se constituèrent les gisements de charbon. Ils datent, pour la plupart, d'une période de l'ère primaire,

*La terre recouvre la végétation qui,
en se décomposant, deviendra charbon.
D'autres forêts se développent en surface.*

remontant à plus de 300 millions d'années, qui a tout naturellement reçu le nom de Carbonifère. Le charbon est donc un résidu de la vie, une vie qui a pu se développer grâce à l'énergie solaire. Ainsi peut-on dire que le charbon est en quelque sorte du soleil en conserve.

Du carbone et de l'hydrogène

Quant au pétrole, c'est aussi du carbone, mais un carbone assez largement uni à de l'hydrogène. Ces éléments ont donné naissance à des composés extrêmement variés : le pétrole n'est pas en effet une substance chimiquement bien définie, comme l'eau, mais un ensemble de corps, aux formules les plus diverses, contenant du carbone et de l'hydrogène. Et, comme le charbon, le pétrole a une origine biologique. Il provient de la décomposition de micro-organismes (petits êtres se réduisant à une seule cellule) qui peuplaient les mers.

Charbon et pétrole se forment-ils toujours dans le sous-sol ? Bien sûr, puisque la Terre est aujourd'hui encore couverte de forêts et que le plancton continue à vivre à la surface des océans. Dans l'hypothèse où l'homme épuiserait toutes les réserves actuelles de charbon et de pétrole, ces corps se reformeraient. Mais lentement, très lentement...

Des millions, voire des dizaines de millions d'années devraient s'écouler avant que ces combustibles ne se recréent en quantités appréciables dans le sous-sol.

Le carbone et l'hydrogène sont deux éléments très répandus dans l'univers. Les scientifiques pensent donc que certains astres pourraient renfermer dans leur sous-sol du pétrole d'origine minérale. Et on peut imaginer — sans en avoir la certitude faute de sondages — qu'en plus du pétrole organique, seul connu à l'heure actuelle, du pétrole minéral se trouve dans les grandes profondeurs de la Terre.

Au XIXe siècle, un cheval est descendu, sanglé, au fond d'une mine.

Les réserves de charbon risquent-elles de s'épuiser ?

Rassurons-nous. L'homme est loin d'avoir exploité toutes les ressources de charbon que lui offre le sous-sol de sa planète. Les réserves demeurent en effet très considérables.

Jugeons-en.

A l'heure actuelle, chaque année, 3 milliards de tonnes de charbon sont extraites à travers toute la Terre. Or les gisements connus à ce jour représentent environ 1 000 milliards de tonnes ! Mieux encore. Pour les réserves probables, non découvertes pour le moment, on avance le chiffre de 15 000 milliards de tonnes. Les plus importantes semblent se trouver en Chine.

Ainsi, au rythme actuel de la consommation, l'humanité disposerait de charbon pour plusieurs milliers d'années. Son exploitation paraît donc assez timide. Ne faudrait-il pas l'élever ? Après tout, dans 1 000, 2 000, 3 000 ans, d'autres énergies auront, depuis longtemps, pris la relève de notre vieux charbon...

Nous sommes au siècle dernier, dans une mine de charbon. Les conditions de travail y étaient extrêmement difficiles. Les hommes descendaient dans des sortes de tonneaux et se glissaient dans des galeries étroites. Les accidents faisaient de nombreuses victimes.

Aujourd'hui, sous la surveillance des mineurs, de puissantes machines, gigantesques rabots, attaquent les veines de charbon.

Dans le port du Havre, des minéraliers déchargent du charbon. Il alimentera des centrales thermiques.

C'est ce que l'on pense dans les pays riches en charbon. Dix d'entre eux détiennent ce privilège : la Chine (dont 80 % de l'énergie est aujourd'hui représentée par le charbon), l'URSS, la Pologne, l'Allemagne de l'Ouest, l'Angleterre, le Canada, les États-Unis, l'Australie, l'Inde, l'Afrique du Sud. Les trois premiers envisagent purement et simplement de tripler leur production d'ici à l'an 2020.

Des robots-mineurs ?

En fait, la liste précédente ne concerne que les pays qui possèdent un charbon exploitable avec les moyens dont nous disposons aujourd'hui, un charbon à moins de 1 500 mètres de profondeur. Si vous allez au-delà — ce qui paraît tout à fait concevable à l'âge des robots —, tout change. Nous voyons en effet se dessiner une autre carte mondiale du charbon, une carte sur laquelle un pays comme la France pourrait avoir de sérieux atouts. De nombreux indices font présumer l'existence, sous le Pas-de-Calais, à quelque 6 000 mètres de profondeur, d'un immense gisement houiller qui se prolongerait sous la mer du Nord et dont le gaz exploité actuellement en Hollande serait l'émanation.

Le charbon a été très concurrencé par le pétrole, mais il n'a sans doute pas dit son dernier mot.

Le mot charbon vient du latin *carbonare* qui signifie brûler. En effet, le charbon était autrefois produit à partir du bois : la combustion de ce dernier laisse un résidu — appelé *carbonare* puis charbon — qui constitue un combustible meilleur que le bois lui-même. C'est au XVIIIe siècle que l'on commença à utiliser en grandes quantités le « charbon de terre » plutôt que le charbon de bois.

Avec Tintin au pays de l'or noir, *le pétrole devient un « héros » de bande dessinée.*

Les atouts du pétrole

Fixé au bout d'un tube, le trépan fore les roches jusqu'à rencontrer une roche qui contienne du pétrole.

Le charbon a été le combustible essentiel de la révolution industrielle. Il faisait tourner les usines, rouler les trains ; il chauffait les chaudières des navires. Pourquoi, depuis un peu plus d'un siècle, a-t-il trouvé un grand rival dans le pétrole ?

D'abord parce que ce dernier est beaucoup plus facile à extraire. Il suffit d'effectuer un forage dans le sol au bon endroit, et le pétrole jaillit. Le charbon, lui, devait être arraché au pic et remonté à la surface. Ensuite, le pétrole circule tout seul dans des tuyaux dont la longueur peut se chiffrer en milliers de kilomètres. Et quelle facilité d'utilisation ! N'est-il pas très simple, grâce à ces canalisations, de régler à volonté le débit, ou de l'interrompre en fermant un robinet ?

Enfin, et surtout, le pétrole est un meilleur combustible que le charbon : il offre une énergie plus concentrée. Avec 1 gramme de charbon, vous obtiendrez au maximum 7 800 calories (c'est-à-dire que vous élèverez de 78 °C la température de 100 gram-

Un tanker fait « le plein » au Gabon.
La capacité de ces navires atteint parfois
des centaines de milliers de tonnes…

mes d'eau). En revanche, 1 gramme de pétrole peut vous fournir 11 200 calories.

Plus énergétique, plus facile d'emploi, le pétrole a permis de créer des moteurs aux performances incomparablement supérieures.

Des moteurs beaucoup plus légers

Ainsi, la machine à vapeur fournissait le cheval-vapeur pour une masse de 100 kg. C'était là une performance déjà intéressante en regard de celle d'un homme (0,1 cheval pour 70 kg), mais malgré tout encore assez limitée. Il avait fallu inventer des règles de fer — le mot se déforma au point de devenir rails — pour permettre aux locomotives de rouler avec un minimum de frottements. Sur route, en effet, la machine à vapeur aurait eu beaucoup trop de mal à tirer des véhicules.

Le pétrole, au contraire, peut alimenter des moteurs à explosion dont la masse par cheval-vapeur

tomba à 10 kg. La grande ère des transports routiers put débuter. Les automobiles apparurent par millions, puis par dizaines de millions. Elles sont aujourd'hui des centaines de millions.

Et c'est aussi le pétrole qui permit le développement du transport aérien.

La route et l'air demeurent un monopole du pétrole. Elles le resteront sans doute longtemps.

Voici quinze ans, les avions consommaient couramment de 8 à 16 litres de pétrole aux 100 km et par siège-passager. Sur les plus récents modèles — l'Airbus A 310 ou le Boeing 757 —, cette consommation est inférieure à 2,5 litres, soit à peu près la même quantité qu'une automobile (10 litres aux 100 km pour 4 personnes transportées), avec la vitesse en plus…

Des dollars et des barils

A travers le monde entier, le prix du pétrole est évalué en dollars et on le vend par barils. Pourquoi ces unités américaines ?

Essentiellement parce que, longtemps, le pétrole fut un produit américain. C'est en effet aux États-Unis qu'il commença à être exploité sur une grande échelle, au siècle dernier (les premiers puits ont été forés en Pennsylvanie en 1858). Et c'est aussi aux États-Unis que naquit en 1865, fondée par un épicier de Cleveland, John Rockfeller, la célèbre compagnie Standard Oil. Ses initiales, SO, sont aujourd'hui devenues Esso le long de nos routes.

D'autre part, l'industrie pétrolière nécessite des moyens gigantesques. Pour prospecter, pour extraire, pour traiter le « brut » (le pétrole à l'état naturel), des instruments très coûteux doivent être mis en œuvre. Les Américains purent assurer ces lourds investissements.

En 1939, à la veille de la Seconde Guerre mondiale, 60 % du pétrole mondial était américain. Après le conflit, la situation n'avait guère évolué. Il était donc assez naturel que son prix soit fixé à partir de la monnaie des États-Unis, le dollar.

Les Américains, par ailleurs, n'ont toujours pas adopté le système métrique. Pour des raisons pratiques, l'habitude s'est instaurée de prendre comme unité de volume celle du tonneau, ou « baril », servant à transporter le pétrole. Le baril représente un volume de quelque 150 litres. 7 barils de pétrole valent à peu près 1 tonne.

La prospection pétrolière fait appel à d'énormes engins. Celui-ci explore le sol d'Oman, au Moyen-Orient.

Des prix qui s'envolent

En 1960, le prix d'un baril de pétrole était légèrement supérieur à 2 dollars. C'est alors que se créa l'OPEP (Organisation des Pays Exportateurs de Pétrole). Ces pays, détenteurs de riches gisements, proposèrent leur pétrole à 1,8 dollar et maintinrent ce prix pendant la période 1960-1970. Ces faibles coûts entraînèrent une surconsommation : la production annuelle, qui était de 1 milliard de tonnes en 1960, passa à 2 milliards de tonnes en 1970.

Mais à partir des années 1973, effrayés par cette consommation gigantesque, craignant d'épuiser leur sous-sol, les pays de l'OPEP élevèrent le prix du baril à 5 dollars, puis à 11, 20, 34… On parle depuis du « choc pétrolier », durement ressenti par les économies occidentales qui s'étaient habituées à utiliser une énergie à bon marché.

Des torchères sur l'île d'Abu Dhabi : ici, le prix de revient du pétrole n'atteint pas 0,5 dollar le baril !

Les États-Unis emploient des unités de mesure telles que le gallon (4,5 l) ou le baril (150 l). Curieusement ce pays, qui envoya des hommes sur la Lune, est un des rares à n'avoir pas encore adopté le système métrique, choisi en France en 1802 et aujourd'hui utilisé dans presque tous les pays du monde.

Est-ce vrai que le pétrole risque de manquer ?

En 1974, lors du premier choc pétrolier, les spécialistes estimaient à 88 milliards de tonnes les réserves mondiales de pétrole. Or, la consommation annuelle n'était pas très loin des 3 milliards de tonnes. Et si le pétrole avait continué à être

L'Afrique est devenue un grand continent du pétrole. Vous découvrez ici un champ pétrolier au large du Cameroun.

vendu à un prix très bas, cette consommation aurait bientôt atteint 4 milliards de tonnes, et sans doute encore davantage.

Faites le calcul : à ce rythme, les réserves auraient été épuisées en 22 ans. Vous imaginez les inquiétudes que cette perspective faisait naître.

Depuis, la situation a profondément évolué. D'abord, pour répondre à la très forte hausse du prix du pétrole, et

par crainte aussi de ne plus être approvisionnés, de nombreux pays industriels ont réduit leur consommation, cherchant notamment à développer d'autres sources d'énergie. Ainsi, après un maximum en 1979 (3,2 milliards de tonnes), la consommation mondiale de pétrole est allée en diminuant légèrement en 1980, 1981, 1982.

Dans le même temps, les réserves mondiales augmentaient. Le chiffre de 104 milliards de tonnes de réserves prouvées est aujourd'hui avancé. Pourquoi ? Parce qu'un immense effort de prospection a été entrepris. Il fut déclenché par la peur de manquer de pétrole, mais aussi par le fait que le précieux combustible, devenu très cher, pouvait supporter de grands investissements. Ainsi, le rythme de la découverte s'est remis à dépasser celui de la consommation.

Les réserves d' « or noir »

Peut-on dire alors que la Terre est aussi riche en pétrole qu'en charbon ? Ce serait trop beau. Les chercheurs et les spécialistes pensent qu'il y a probablement dans le sous-sol dix à vingt fois moins de pétrole que de charbon. A l'heure actuelle, les réserves probables s'élèveraient à quelque 360 milliards de tonnes. On ajoute à ce chiffre une masse de même ordre pour les huiles lourdes, particulièrement abondantes au Venezuela, et qui, convenablement traitées, peuvent être utilisées comme le pétrole.

Les réserves d' « or noir » ne sont donc pas inépuisables. Elles devraient cependant satisfaire les besoins des hommes pendant plusieurs générations. D'autant plus qu'au pétrole naturel, s'ajoutera bientôt le pétrole synthétique.

ENERGIA ECONOMIA

Le pétrole, en fait, ne manque pas.
Mais il ne faut pas le gaspiller.
Halte à la folle consommation d'hier !

Le rendement d'un moteur de voiture fut longtemps compris entre 7 et 22 %. Un humoriste aurait pu dire qu'une automobile servait essentiellement à chauffer le paysage et accessoirement à transporter des passagers. Bien entendu, il est impossible d'obtenir 100 %. Mais si le rendement moyen passe simplement de 15 à 20 %, cela signifie que les véhicules feront le même parcours à la même vitesse avec une consommation réduite d'un tiers.

*Ces blindés allemands
franchissent le Don
en août 1942.
Ils s'enfoncent au cœur
de la Russie grâce
au pétrole synthétique.*

Le pétrole synthétique

Le sous-sol de notre planète recèle d'énormes tonnages de charbon; le pétrole, lui, n'existe qu'en quantités relativement limitées. Ne pourrait-on pas fabriquer celui-ci à partir de celui-là ? N'avons-nous pas déjà dit que le pétrole n'était que du carbone plus de l'hydrogène ?…

En théorie, en effet, cette transformation ne paraît pas bien difficile. Elle

*Cette usine pilote, à Bayton, au Texas,
produit du pétrole synthétique obtenu
par la liquéfaction du charbon.*

l'est beaucoup plus en pratique, même si elle est techniquement possible.

Déjà, pendant la Seconde Guerre mondiale, les Allemands avaient fabriqué plusieurs millions de tonnes de pétrole synthétique par an. Ils utilisaient pour cela un procédé qui consiste à hydrogéner de l'oxyde de carbone en présence de nickel. Depuis quelques années, l'idée a été reprise. Elle offre un avenir très prometteur aux pays qui ont décidé d'augmenter considérablement leur production de charbon dans un futur assez proche.

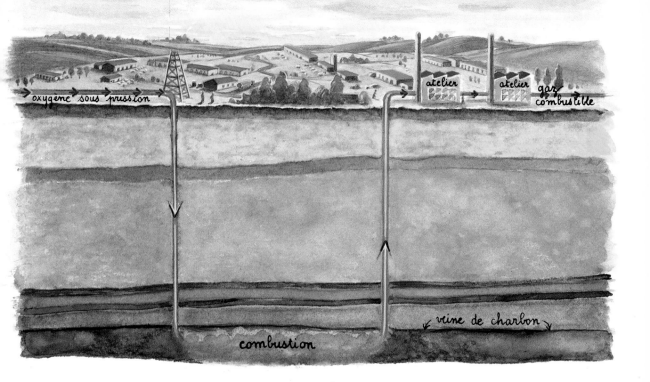

oxygène sous pression   atelier   atelier   gaz combustible

combustion

veine de charbon

Demain, lorsqu'on saura entretenir la combustion du charbon dans la terre même, l'énergie montera toute seule !

Ce charbon, en effet, il ne s'agira pas de le consommer comme autrefois. Il faut, au contraire, lui donner une plus grande valeur. La fabrication de pétrole synthétique devient donc une entreprise très intéressante : elle permet au producteur d'exploiter un charbon abondant et au consommateur de disposer d'un combustible liquide, utilisable en tous points comme du pétrole naturel.

De grands projets

En Afrique du Sud, où le prix du charbon est particulièrement bas, a été lancé le programme *Sasol*. Il devrait assurer une production annuelle de 5 millions de tonnes de pétrole.

Les Allemands ont emboîté le pas en décidant de créer, au cours des dix prochaines années, trois grandes usines de liquéfaction du charbon.

Mais naturellement, une fois encore, ce sont les Américains qui se montrent les plus ambitieux. Ils projettent de fabriquer en 1988 quelque 500 000 tonnes de pétrole synthétique par jour, soit environ 170 millions de tonnes par an. Ils pourraient même quadrupler ce chiffre dès 1992, les États-Unis entendant, en cas de nécessité, couvrir leurs besoins tout en ménageant leurs gisements de pétrole naturel...

A la différence du pétrole naturel qui contient les composés les plus divers, et rejette ainsi de nombreux produits dans l'atmosphère, le pétrole synthétique a une formule chimique bien définie. On sait donc exactement quels corps donne sa combustion. On pourra par conséquent combattre beaucoup mieux la pollution qu'il entraîne.

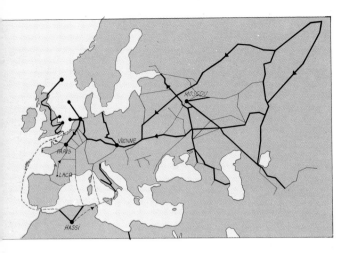

Vous découvrez sur cette carte le réseau impressionnant des gazoducs.

Un bel avenir pour le gaz

Le gaz est une source d'énergie que l'on oublie souvent. Bien sûr, tout le monde connaît les cuisinières ou les chaudières à gaz, mais ces appareils domestiques ont renforcé l'idée que le gaz se limite à cette utilisation.

Or, il s'agit de tout autre chose. Le gaz, en effet, représente une grande énergie industrielle : c'est un combustible presque aussi important que le pétrole, la différence entre l'un et l'autre apparaissant minime.

Gazeux ici, liquide ailleurs

Comme le pétrole, le gaz est un hydrocarbure, c'est-à-dire un composé de carbone et d'hydrogène. Comme le pétrole, il provient de la décomposition de micro-organismes.

En fait, toute la différence se résume en des températures d'ébullition. Nous appelons « pétroles » les hydrocarbures qui, dans les conditions terrestres, restent liquides. (Ils ne le seraient pas sur Vénus ; là, essence, kérosène et gas-oil deviendraient

Le gisement de gaz de Lacq sera exploité jusqu'à la fin du siècle. On en extrait aussi de grandes quantités de soufre. L'économie de l'Aquitaine a largement profité de cette richesse.

Une fois liquéfié, le gaz peut être transporté dans des bateaux spéciaux : les méthaniers. Celui-ci vient d'Algérie et décharge à Fos-sur-Mer.

gazeux.) En revanche, nous parlons de « gaz naturel » lorsque, toujours aux températures terrestres, les hydrocarbures sont gazeux. (Ils ne le seraient pas aux températures régnant sur certains satellites de Jupiter où le méthane deviendrait liquide.)

D'immenses réseaux de gazoducs

Ajoutons que pétrole et gaz se trouvent souvent dans une même poche du sous-sol. Mais le gaz naturel a tendance à s'échapper par des fissures. Et pour cette raison, il faut aller fréquemment le chercher à grande profondeur. Son exploitation exige donc une technologie particulièrement avancée. Voilà pourquoi, dans l'histoire industrielle, l'âge du gaz naturel a suivi celui du pétrole.

Qui en furent les pionniers? Les Américains, une fois encore! Ils ont entrepris l'exploitation du gaz naturel en 1925. Dès cette époque, ils n'hésitèrent pas, pour le distribuer, à couvrir tout leur territoire d'un impressionnant réseau de gazoducs.

En URSS — premier détenteur mondial de gaz naturel —, cette exploitation connaît aujourd'hui un fantastique développement. Une grande partie de l'industrie soviétique a été « mise au gaz ». Quant aux gazoducs, ils partent des champs de Sibérie, traversent toute la Russie d'Europe, toute l'Europe centrale et atteignent maintenant l'Europe occidentale.

Le mot gaz a dans notre langage un double sens. Pour nous, le gaz c'est l'hydrocarbure qui sert à la cuisine, au chauffage et à un certain nombre d'usages industriels. Pour le physicien, la plupart des corps simples peuvent devenir des gaz. Ainsi le fer est à la température ordinaire un solide. Mais chauffez-le à 1 550 °C, il fond. Chauffez davantage et vous verrez bouillir le fer liquide... qui deviendra un gaz.

Ces immenses étendues de sable sont imprégnées de pétrole (site de l'Athabasca).

Quand le pétrole imprègne les roches

Le pétrole ne se trouve pas toujours bien isolé dans une poche du sous-sol. Il lui arrive d'imprégner des sables ou des schistes.

Un schiste est une roche qui, un peu comme les mille-feuilles des pâtissiers, présente plusieurs couches superposées. Parfois, certaines de ces couches contiennent du pétrole : on parle alors de schistes bitumeux. Il arrive aussi que le pétrole imbibe un sable.

Les sables bitumeux de l'Athabasca, au Canada, ont été traités dans cette usine, véritable cauchemar de plombier.

Schistes ou sables bitumeux, dit-on souvent, sont le pétrole du pauvre. Il serait plus juste de parler du pétrole du courageux. Ici, en effet, le pétrole ne jaillit pas tout seul, il faut se donner beaucoup de mal pour l'extraire. Ce travail n'est ni simple ni agréable.

La première opération consiste à retirer du sous-sol une grande quantité de matière très sale (elle laisse une boue appelée gangue), représentant à peu près dix fois le tonnage du pétrole que l'on obtiendra.

Seconde opération : le traitement de cette matière pour en extraire le

Tosco II, dans les Rocheuses,
a traité 66 000 tonnes de schistes par jour
pour 55 000 barils (ci-dessus).
A droite, une autre « tour », dans le Colorado.

pétrole. Divers procédés ont été mis au point, et notamment un « presse-roche » géant. Celui-ci peut prendre l'aspect d'un gigantesque four à l'intérieur duquel des billes d'acier ont pour tâche de broyer la roche. Les sables, eux, sont parfois soumis à l'action de la vapeur. Faut-il préciser que la consommation d'eau atteint dans ce cas des records ?

Une immense richesse...

Forts de leur extraordinaire gisement de l'Alberta (le seul site d'Athabasca disposerait, dans ses sables bitumeux, de réserves d'hydrocarbures évaluées à 100 milliards de tonnes), les Canadiens se sont lancés dans l'entreprise. Car si le traitement de ces roches posent encore d'innombrables problèmes, les techniciens pensent que des formules plus intéressantes seront mises au point dans l'avenir. Ainsi, on travaillera peut-être un jour dans le site même, sans avoir besoin

d'extraire schistes ou sables, qui seraient brûlés partiellement pour traiter le reste. Les spécialistes fondent beaucoup d'espoirs sur ce procédé.

Malgré les problèmes qui se posent encore, les gisements de schistes ou de sables bitumeux représentent donc une immense richesse énergétique, que l'on ne saurait ignorer...

Les Suédois avaient déjà, au cours de la Seconde Guerre mondiale, fabriqué de l'essence. Ils chauffaient des schistes, pendant cinq mois, grâce à des fils — mis en place au moyen de forages — dans lesquels ils envoyaient un courant électrique. Cette méthode — dite de Ljundström — leur permettait d'obtenir 50 litres de pétrole à partir d'une tonne de schistes.

La force des cours d'eau est utilisée depuis très longtemps. Ce moulin, avec ses roues à aube, date du XVIᵉ siècle.

La force des cours d'eau

Quoi de plus simple que l'énergie hydraulique ? Ne suffit-il pas de placer, dans le courant d'une rivière, une grande roue munie de pales que l'eau fera tourner ? Les anciens moulins y trouvaient leur énergie…

Mais ces installations artisanales nécessitaient l'emploi d'un jeu compliqué de courroies et de roues dentées. En revanche, grâce aux dynamos ou alternateurs, l'électricité apporta une grande souplesse à cette

Quelle est la meilleure façon de stocker de l'électricité ? Tout simplement d'élever dans un réservoir l'eau qui permettra de la produire !

énergie hydraulique. Elle put être transformée en courant électrique et transportée, par l'intermédiaire de câbles, à des dizaines, voire à des centaines de kilomètres. En outre, dans les régions montagneuses, on inventa la « conduite forcée » : l'eau, canalisée dans d'énormes tuyaux, frappe avec une grande force les pales de turbines.

D'un pays à l'autre

Peu à peu, dans la plupart des pays européens, les fleuves accueillirent des centrales hydrauliques. La géographie joua son rôle. Ainsi, dans les pays scandinaves, où les ressources sont

*Pourtant dix fois moins peuplé que
les États-Unis, le Canada
possède le même
potentiel hydraulique.
Il produit plus d'électricité que
toutes les centrales françaises.
Vous êtes ici à l'intérieur
du barrage Saint-James, au Québec.*

fabuleuses, l'équipement hydro-
électrique se développa considérablement. A l'opposé, l'Angleterre, qui ne
dispose d'aucun fleuve très important
(aucun point de son territoire n'est à
plus de 121 km de la mer), resta en
retrait. Elle préféra fabriquer son
électricité en brûlant le charbon
qu'elle extrayait en abondance de son
sous-sol.

Encore des ressources

En 1939, la France fabriquait 60 % de
son électricité à partir des cours d'eau.
Mais pour répondre à une demande
sans cesse croissante, elle dut faire
appel aussi à des centrales thermiques,
ou nucléaires, si bien que la part de
l'hydraulique ne représente plus
aujourd'hui que quelque 65 milliards
de kWh sur les 260 produits
annuellement.

Ce chiffre pourrait s'élever à 75,
voire 80 milliards de kWh. Au-delà,
les investissements seraient trop
coûteux et les conséquences écologi-
ques parfois désastreuses. Pourtant,
l'ensemble des cours d'eau français
pourrait théoriquement assurer une
production d'environ 235 milliards de
kWh.

Dans les pays en voie de développement, des ressources gigantesques
dorment toujours : au Zaïre en
Afrique, dans le bassin de l'Amazone
en Amérique du Sud... Quant aux
Chinois, ils possèdent les plus
importantes réserves du monde, mais,
pour le moment, ils n'en ont encore
exploité guère plus de 3 % !

**C'est la Chine qui possède les plus
fortes réserves hydro-électriques du
monde, d'une part avec des fleuves
de montagne, tels le Mékong ou le
Brahmapoutre (qui offre 2 000
mètres de dénivellation sur une
petite distance), d'autre part avec des
fleuves de plaine comme le majes-
tueux Yang-Tsé. Mais les premiers
peuvent fournir de l'électricité dans
des régions où on n'en a pas
l'emploi, tandis que l'exploitation
des seconds sur une grande échelle
obligerait à inonder de vastes régions
habitées.**

La Rance : la seule grande usine marémotrice du monde, en service depuis 1963.

L'énergie marémotrice, vous connaissez ?

Voilà encore une source d'énergie simple dans son principe. Deux fois par jour, la marée déplace vers les côtes de grandes quantités d'eau. Emprisonnons-les dans un bassin et attendons le moment du reflux : l'eau repartira vers le large, mais au passage elle fera tourner des turbines productrices d'électricité. Bien entendu, dans la phase de marée montante, lors de son entrée dans le bassin, elle fournira le même travail.

Une première difficulté tient à la nature de l'eau de mer, salée et donc très corrosive. Les matériaux capables de supporter pendant de longues années ses agressions n'ont été créés que très récemment.

Autre problème de taille, les différences de niveau entre la haute et la basse mer sont faibles : quelques mètres au plus. Il fallait donc concevoir des turbines spéciales, directement solidaires de l'alternateur. La conception de cet ensemble, qui a reçu le nom de « groupe bulbe », relève également d'une technologie récente.

En entrant ou en sortant du bassin créé par le barrage, la mer fait tourner ces énormes pales.

Vous découvrez sur ce schéma l'implantation des groupes qui produisent l'électricité. On les appelle « bulbes » en raison de leur forme. Ils sont à l'arrière des pales, qui tournent toujours dans le même sens.

La première centrale marémotrice a été construite par la France, entre 1961 et 1968, dans l'estuaire de la Rance, en Bretagne du Nord. Elle fonctionne bien, fournissant annuellement un peu plus d'un demi-milliard de kWh. Mais ira-t-on au-delà de cette installation expérimentale ?

Un avenir incertain

Un projet grandiose a été proposé pour exploiter en totalité la baie du Mont-Saint-Michel. Un bassin haut serait mis en communication avec la mer lors de la marée haute, tandis qu'un bassin bas communiquerait avec la mer au moment de la marée basse. L'usine serait située entre les deux bassins. Elle pourrait ainsi fournir une électricité permanente, alors que la centrale de la Rance ne fonctionne que quelques heures par jour. L'énergie produite atteindrait annuellement 35 milliards de kWh, soit plus de la moitié de ce que fournit l'ensemble des fleuves français.

Mais nul ne sait si ce projet verra le jour. On enregistre d'ailleurs la même hésitation dans le reste du monde. Les Soviétiques ont construit une petite centrale pilote à Mourmansk... et envisagent d'en créer une grande au Kamtchatka. Les Chinois et les Coréens s'intéressent également à l'énergie marémotrice, sans pour autant avancer une date qui verrait les projets se transformer en réalisations concrètes.

Les marées sont fortes ou faibles selon les positions respectives du Soleil et de la Lune. Mais, à la différence des caprices météorologiques qui influencent de façon imprévisible la production des centrales hydrauliques, les irrégularités de la marée ont l'avantage de pouvoir être calculées. On sait exactement quelle quantité d'électricité sera produite et on peut établir des programmes.

*Les premiers moulins à vent
sont apparus au Moyen Age.
Dans l'Antiquité, ils n'existaient pas.*

Autant en apporte le vent

Savez-vous que l'énergie du vent est prodigieuse ? Savez-vous qu'il y a dans le vent 100 fois plus d'énergie que dans l'ensemble des fleuves du monde entier ?

Qu'attend-on, alors, pour construire de grandes centrales qui fabriqueraient de l'électricité à partir du vent ? Des centrales qui pourraient être édifiées un peu partout puisqu'un peu partout il y a du vent.

Voilà le drame : il y a un peu de vent partout, mais il n'y en a beaucoup de façon permanente nulle part, ou presque. Les fleuves, eux, offrent une énergie concentrée et sûre.

*Les éoliennes du plateau de Lassiti,
en Crète, pompent l'eau.
Vous en découvrez le principe à gauche.*

Celle du vent est dispersée et irrégulière. Son exploitation paraît donc difficile, même si techniquement le problème reste simple.

D'ailleurs, au Moyen Age déjà, les moulins à vent faisaient partie du paysage de nombreuses campagnes.

*Cette grande éolienne domine
les toits de New York.*

Leurs ailes couvertes de toile faisaient tourner des meules qui transformaient le grain en farine.

Version moderne du vieux moulin, l'éolienne profite toujours du vent. Elle pivote sur sa base afin de toujours mettre ses pales dans la meilleure direction par rapport à celle d'où vient le vent. Ainsi l'éolienne remplit-elle un rôle efficace lorsque l'on n'a besoin que d'une énergie assez faible et irrégulière. Dans beaucoup de régions, les éoliennes servent à pomper l'eau pour irriguer les champs.

Quand souffle la tempête

En revanche, la construction de véritables centrales pose de réelles difficultés. Leur puissance dépend notamment de la taille des hélices qui seront choisies pour obtenir une énergie importante. Des pales de 25 m, puis de 50 m, ont été dressées : elles ont rarement résisté aux tempêtes. Voilà encore un inconvénient de taille : si vous manquez de vent, l'hélice ne tourne pas, si vous en avez trop, elle risque d'être détruite.

Ces accidents n'ont toutefois nullement découragé les Américains. La NASA développe actuellement un programme de centrales éoliennes, munies de pales de 58 m, dont la puissance atteindra 2 MW.

Les avis demeurent partagés sur l'avenir des centrales éoliennes. Certains spécialistes ne jugent pas l'énergie du vent économiquement intéressante. D'autres pensent que la technique n'a pas dit son dernier mot.

Se déplacer sur la mer grâce au vent ? C'est le principe même de la planche à voile. Et pendant des siècles, toutes les marines du monde ont utilisé ce principe.
Il n'est pas question de revenir à la marine à voiles. En revanche, certaines sociétés étudient très sérieusement l'installation d'éoliennes sur des bateaux qui fabriqueraient ainsi grâce au vent l'électricité dont ont besoin leurs moteurs.

Ce sont les vagues qui alimentent cette bouée en électricité.

Peut-on récupérer l'énergie des vagues?

Nous reprochons au vent d'être trop irrégulier et très dispersé ? Qu'à cela ne tienne : exploitons-le aux endroits où sa force est concentrée, c'est-à-dire à la surface de la mer.

En soufflant sur les mers et les océans, le vent pousse et soulève en effet l'eau de façon désordonnée. Il donne ainsi naissance à la houle. Et celle-ci est pratiquement permanente loin des côtes.

Un mètre de vague contient plus de 90 kW : de quoi alimenter 1 000 ampoules !

Deux pays, entourés par la mer de toutes parts, se sont naturellement intéressés à l'énergie de la houle : l'Angleterre et le Japon. Et plusieurs expériences ont eu lieu.

Une technique simple consisterait à placer sur la surface de la mer d'énormes caissons. Imaginez de grands blocs creux en béton. Imaginez maintenant que ces blocs sont reliés entre eux par des articulations souples, comparables aux soufflets qui séparent les voitures de chemin de fer. En l'occurrence, nos caissons en béton

Les radeaux articulés de Cockerell comportent des palmes ou des bacs que le mouvement des vagues fera monter et descendre. On disposera ainsi d'une énergie mécanique que l'on pourra convertir en électricité.

seront singulièrement ballottés par la houle et les articulations travailleront sans cesse. Ces déformations permettront de comprimer de l'air qui, en arrivant sous pression, fera tourner les pales d'une turbine...

Les Japonais ont, pour leur part, imaginé différentes formules de bouées. L'une d'entre elles, haute de 22 m, a pu actionner un générateur dans la baie de Tokyo.

Ces recherches, et beaucoup d'autres, sont intéressantes, mais aucune n'a encore débouché sur un projet de grande centrale. Notons toutefois que l'exploitation de l'énergie des vagues présente, dans l'absolu, un autre intérêt que la seule production d'énergie électrique. En enlevant à la mer sa source d'agitation naturelle en surface, on va la refroidir. Or, les centrales thermiques ou nucléaires construites au bord des côtes ont pour inconvénient, au contraire, d'élever cette température par un important rejet d'eau chaude. Les deux formules pourraient donc s'équilibrer harmonieusement...

Ce n'est que récemment que l'on a pu mesurer — grâce à des bouées interrogées par satellite — la puissance des vagues. Elle est apparue beaucoup plus importante qu'on ne l'imaginait : environ 90 kW (soit plus de 120 chevaux) *au mètre...*

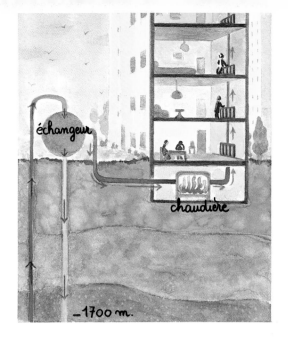

échangeur

chaudière

−1700 m.

*Le chauffage géothermique utilise
l'eau tiède prisonnière du sous-sol.*

Profiter de la chaleur interne de la Terre

Quelle température règne au centre de notre planète ? Environ 4 000 °C… Nous ne nous en apercevons guère, car la Terre constitue une bouteille thermos particulièrement efficace. Elle connaît pourtant quelques fuites : nous les appelons « éruptions volcaniques ».

*A Melun, des chaudières élèvent
la température de l'eau puisée dans
le sous-sol. Une installation assez simple !*

Par ailleurs, lorsque nous posons la main sur une bouteille thermos qui contient depuis longtemps un liquide très chaud, nous ressentons malgré tout une certaine chaleur. Le centre de la Terre, lui aussi, laisse échapper un peu de chaleur vers la surface. Et ce « peu » représente chaque année ce que nous fournirait la combustion de 25 milliards de tonnes de charbon ! Voilà pourquoi les roches du sous-sol sont chauffées : il suffit de descendre à

1 700 m pour trouver une température de + 70 °C. A cette profondeur, des masses d'eau souterraine seront donc, elles aussi, tièdes.

Pourquoi alors ne pas les puiser, au moyen d'une pompe, pour disposer d'un liquide qui alimentera les installations de chauffage central d'un groupe d'immeubles, voire d'une ville entière ? Pourquoi ne pas créer un chauffage géothermique ?

Cette idée, très séduisante, a déjà été réalisée en un certain nombre de sites dans le monde. En Islande, 150 000 habitants, sur les 220 000 que compte l'île, sont aujourd'hui chauffés de cette manière. En France également, où l'on a repéré des nappes d'eau chaude dans le sous-sol un peu partout, et notamment dans le Bassin parisien (à Creil, à Melun et à Paris même), en Alsace, dans l'Aquitaine, dans les régions centrales...

Des problèmes à résoudre

Cette chaleur ne coûte rien, mais son exploitation nécessite cependant une assez haute technologie. En règle générale, on ne peut envoyer dans les radiateurs l'eau puisée dans le sous-sol, car elle est saumâtre — c'est-à-dire salée — et donc beaucoup trop corrosive. Il faut la diriger vers un échangeur : c'est un circuit secondaire qui, après avoir récupéré sa chaleur, ira alimenter les appareils de chauffage.

Ces installations, assez complexes, sont donc chères. Il faut en réduire l'importance au minimum et n'attendre du chauffage géothermique que 40 à 50 % des besoins. Le reste sera demandé par exemple à une chaudière classique, fonctionnant au fuel. Ainsi, le pétrole sera économisé... et les installations destinées à la récupération des eaux chaudes dans le sous-sol ne seront pas ruineuses.

Le chauffage central géothermique suppose de vastes installations, à la taille d'un groupe d'immeubles.

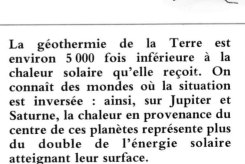

La géothermie de la Terre est environ 5 000 fois inférieure à la chaleur solaire qu'elle reçoit. On connaît des mondes où la situation est inversée : ainsi, sur Jupiter et Saturne, la chaleur en provenance du centre de ces planètes représente plus du double de l'énergie solaire atteignant leur surface.

Le site de « Bouillante », à la Guadeloupe, mérite bien son nom...

Les centrales géothermiques

Nous venons de parler de la géothermie qui exploite les nappes d'eau tiède présentes dans le sous-sol. Très différente de cette géothermie à « basse énergie », celle dite à « haute énergie » tire parti des « gisements de chaleur » qui existent çà et là au sein de l'écorce terrestre.

On donne ce nom de gisements de chaleur à des blocs de lave restés coincés dans la cheminée d'un volcan

Depuis 1959, une centrale haute énergie fonctionne à Wairakey, en Nouvelle-Zélande. Sa puissance atteint 300 000 kW

qui n'a pas eu la force de les éjecter. L'événement peut être fort ancien, car la Terre est mauvaise conductrice de chaleur. Par exemple, si la température d'un bloc de lave prisonnier du sous-sol s'élevait à 1 100 °C il y a 5 millions d'années, elle pourra être encore aujourd'hui de 800 °C à 900 °C. De telles températures rendent l'exploitation de l'énergie géothermique particulièrement intéressante.

Une excellente solution consiste à envoyer de l'eau sur le gisement de chaleur (à moins que la nature ne se

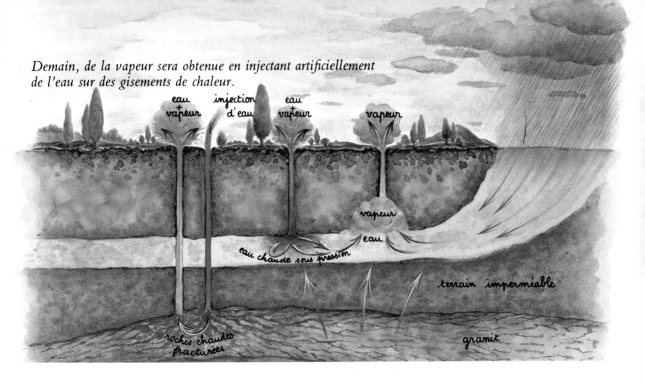

Demain, de la vapeur sera obtenue en injectant artificiellement de l'eau sur des gisements de chaleur.

eau + vapeur

injection d'eau

eau vapeur

vapeur

vapeur

eau

eau chaude sous pression

terrain imperméable

roches chaudes fracturées

granit

soit chargée de ce travail et que des eaux souterraines ne se trouvent déjà en contact avec les roches brûlantes). Le résultat : un jaillissement de vapeur à plusieurs centaines de degrés. Lorsqu'elle arrive en surface, il suffit de la canaliser par des tuyaux pour qu'elle fasse tourner des turbines qui produiront de l'électricité. Les centrales thermiques classiques ne fonctionnent pas autrement.

De l'Italie au Japon

En 1904, sur le site de Larderello, en Italie, François de Larderel construisait la première centrale géothermique sur ce principe. Cette centrale fonctionne toujours et sa puissance n'a cessé de croître (elle atteignait 300 MW dès 1960).

Larderello est resté pendant longtemps un cas unique, mais aujourd'hui d'autres centrales géothermiques ont vu le jour : deux en Italie, une en Nouvelle-Zélande, six au Japon, trois au Mexique... Sur le site dit *The Geyser,* les Américains en implantent une dont la puissance dépasse 900 MW, soit celle d'une centrale nucléaire classique.

Pour l'instant, seuls les gisements de chaleur sur lesquels de l'eau arrive naturellement ont été utilisés (ce qui permet à la fois de les repérer et de les exploiter facilement). Une seconde étape pourrait conduire à rechercher systématiquement les gisements de chaleur, puis à étudier les conditions dans lesquelles, sur certains d'entre eux, de l'eau serait artificiellement injectée...

Les ressources géothermiques des différentes régions du globe seraient beaucoup mieux connues si, à chaque fois que l'on a entrepris des forages, on en avait profité pour procéder à des mesures géothermiques. On ne l'a pas fait par manque de coordination. A l'heure actuelle, on met un ordinateur dans le sous-sol des cités pour faciliter les travaux. A quand la mise en ordinateur du sous-sol de toute la Terre ?

La fabuleuse énergie solaire

Quand on parle d'énergie, le Soleil est partout présent. C'est essentiellement sous son action que la surface de notre planète s'est transformée. Il rend possible le cycle de l'eau qui, d'évaporation en pluie, entretient le débit des fleuves et donc l'énergie hydraulique. Le vent et la houle sont d'autres formes de l'énergie solaire. Et nous avons vu que le charbon ou le pétrole, ces combustibles fossiles, sont les restes d'êtres vivants : comment auraient-ils pu exister sans le Soleil ?

Ces énergies ne représentent toutefois qu'une très petite partie de celle produite par notre étoile.

Une généreuse étoile

Jugez-en. La puissance du Soleil représente 380 000 milliards de milliards de kilowatts ! Une puissance tellement grande que nous ne réalisons pas son importance. Pour tenter d'en avoir une idée, notons que même si notre planète ne reçoit que la deux milliardième partie de l'énergie solaire, cette fraction représente chaque année l'équivalent de 100 000 milliards de tonnes de pétrole. De quoi satisfaire presque 15 000 fois les besoins de l'industrie mondiale ! Autrement dit, dans l'absolu,

*De nombreux peuples de l'Antiquité
ont fait du Soleil un dieu. Les Égyptiens,
notamment, l'adoraient. Ils avaient compris
que l'astre du jour entretient la vie.
La Terre lui doit, sans aucun doute,
toutes ses richesses.*

l'homme devrait pouvoir faire tourner ses usines, fonctionner ses transports et subvenir à tous ses besoins avec une infime partie du rayonnement généreusement envoyé sur notre monde par le Soleil.

Un avenir assuré

Et cette situation durera aussi longtemps que le Soleil lui-même. Or, malgré ses 5 milliards d'années d'existence, cette étoile est encore jeune et restera stable pendant encore au moins 5 milliards d'années.

Pratiquement, le Soleil vivra aussi longtemps que notre planète. On pense qu'il se transformera en étoile géante... et qu'il brûlera la terre. C'est dire que l'énergie solaire, à l'échelle humaine, est à la fois éternelle et gigantesque. Tout le problème est de savoir comment l'utiliser...

Une éruption solaire, c'est un immense jet de matière à 5 000 °C ; la vitesse se chiffre en centaines de km/s.

Le Soleil nous apparaît comme une gigantesque source d'énergie. Mais ce n'est qu'une étoile moyenne. Certaines étoiles ont des puissances des milliers de fois plus importantes, d'autres sont des milliers de fois plus faibles.
Le Soleil est surtout une étoile remarquablement stable : on pense que sa puissance augmente avec le temps, mais très très lentement.

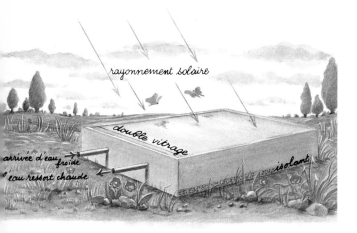

rayonnement solaire

double vitrage

arrivée d'eau froide

l'eau ressort chaude

isolant

En piégeant la chaleur du Soleil,
le capteur porte de l'eau à 80°C.

Quand le Soleil chauffe nos maisons

Le Soleil chauffe déjà nos habitations sans aucune installation particulière : une pièce recevant le rayonnement du Soleil est en effet plus chaude qu'une chambre exposée au nord.

Mais aujourd'hui on peut faire beaucoup mieux. Des maisons de plus en plus nombreuses sont équipées de dispositifs spécialement conçus pour

Des capteurs solaires chauffent le centre
de recherches de Sophia-Antipolis.

recueillir la chaleur solaire. Nous les appelons des « capteurs ».

Installés sur le toit, ils se présentent par exemple comme des bacs plats, remplis d'eau et recouverts d'une lame de verre. Cette dernière empêche l'évaporation ou la chute de l'eau. Elle joue en fait un rôle beaucoup plus fondamental, car elle « piège » les calories du Soleil. Le verre, transparent à la lumière, laisse passer le rayonnement solaire qui chauffe l'eau

*Quand les capteurs solaires permettent
de fabriquer de l'électricité.
Vous découvrez sur ces deux photographies
les immenses services qu'ils sont
susceptibles de rendre, notamment
dans des pays qui, comme l'Afrique,
ne sont souvent riches que de soleil.
Ici, ils assurent le fonctionnement
d'une pompe et de la télévision à l'école.*

contenue dans le bac. En revanche, le verre est opaque au rayonnement infrarouge émis par un corps chaud : la chaleur ne pourra pas repartir et va donc s'accumuler dans le bac. Ce phénomène s'appelle « effet de serre » ; vous l'avez certainement constaté en pénétrant dans une automobile qui, vitres relevées, était restée en plein soleil !

Même par une température extérieure de 0 °C, l'eau contenue dans un capteur bien isolé et exposé au Soleil se trouvera portée à 70 °C ou 80 °C. Conservée dans un réservoir, lui-même bien isolé, elle alimentera la maison pendant plusieurs dizaines d'heures.

Quand l'air chaud descend

Le principe du capteur à air est à peine différent. Il consiste à faire circuler de l'air derrière une vitre posée sur un toit incliné ou tout simplement sur un mur orienté au sud. Arrivé dans la partie supérieure de la maison, l'air chaud redescend en empruntant une cheminée centrale et chauffe ainsi la maison.

Tout cela paraît très simple. En fait, pour être efficace, cette formule exige des matériaux d'excellente qualité et une solide expérience. Nous assistons aujourd'hui au rodage de ces techniques. Elles connaîtront certainement un grand essor dans le monde de demain.

Il aurait été difficile de remplacer le cheval d'un fiacre par un moteur d'automobile ; pour le faire, il fallait reconcevoir le véhicule. Il se passe la même chose avec le capteur intégré. Il ne s'agit plus de placer une pièce sur un toit existant, mais de construire des toits faits d'un certain nombre de panneaux, qui jouent tous le rôle de capteurs solaires.

Un vieux projet : les centrales solaires

Vous ne connaissez certainement pas le nom de Mouchot. Pourtant, ce professeur fut, au XIXᵉ siècle, un ardent pionnier de l'énergie solaire. Lors de l'Exposition universelle qui se tint à Paris en 1867, il présenta un four solaire : un miroir métallique concentrait les rayons du Soleil sur un récipient de verre dans lequel de l'eau était ainsi portée à ébullition.

Plus tard, Mouchot imagina de faire fonctionner une machine grâce à la vapeur ainsi obtenue. On put mettre en marche une presse... qui imprima un journal. Quel titre pensez-vous qu'il reçut ? *Le Soleil,* naturellement !

Mais l'invention de Mouchot se heurta à l'indifférence générale et l'entreprise fit faillite...

La même technique est reprise aujourd'hui — en plus grand et avec des moyens perfectionnés — dans les « centrales solaires ». Certaines servent de fours et ont permis de porter des matériaux à plus de 3 000 °C ; d'autres sont destinées à produire de l'électricité.

Dans ces nouvelles centrales solaires, le miroir est devenu très grand : sa hauteur dépasse parfois

La centrale française Thémis : sur un terrain en pente, les héliostats sont dirigés vers le sommet d'une tour, où se trouve la chaudière.

*L'impressionnante centrale solaire
de Barstow, en Californie, est entrée
en service en 1982. Elle ne compte pas
moins de 1 500 héliostats.*

40 m. Il n'est donc plus question de le manœuvrer pour lui permettre de suivre le parcours du Soleil dans le ciel. Qu'à cela ne tienne ! Il reste fixe, tandis que toute une série de petits miroirs mobiles — nommés héliostats et pilotés par ordinateur — ont pour mission de renvoyer le rayonnement du Soleil dans le grand miroir. Rien n'interdit alors de fabriquer du courant électrique comme on le ferait avec une autre source de chaleur.

Des centaines d'héliostats

Plusieurs installations pilotes ont déjà vu le jour à travers le monde. A Barstow, en Californie, les Américains ont notamment créé une centrale qui ne compte pas moins de 1 500 héliostats ; la chaudière se trouve au sommet d'une tour de 86 m ; la puissance atteint 10 MW. A Targassonne, dans les Pyrénées, les Français ont construit la centrale expérimentale Thémis : 380 héliostats et une puissance de 2 MW.

Quel est l'avenir de ces formules ? Les jugements sont assez nuancés. Les centrales thermo-solaires semblent particulièrement intéressantes dans les régions désertiques, où le Soleil brûle d'immenses espaces. Les Américains envisagent d'ailleurs la construction d'une centrale de 1 000 MW dans l'Arizona. En revanche, là où les mètres carrés sont rares, et donc chers, les photopiles apparaissent plus prometteuses.

Le physicien de Saussure est resté célèbre pour avoir effectué la deuxième ascension du Mont Blanc. Il aurait mérité de l'être pour avoir créé le premier réchaud solaire. Il faisait en effet cuire ses aliments dans une boîte en bois dont il avait peint les parois intérieures en noir, et fermée par une plaque de verre.

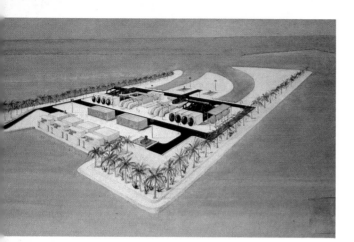

Dans l'océan, des centrales thermo-marines

Il y a un siècle, en 1880, le savant français Arsène d'Arsonval imagina la centrale thermo-marine... sans lui donner ce nom (à l'époque, le langage scientifique ignorait beaucoup de nos termes actuels). D'Arsonval eut l'idée de génie d'exploiter la différence de température qui, dans les mers tropicales, est très marquée : 27 °C en surface contre 4 °C seulement à 400 m de profondeur. En reliant l'eau chaude à l'eau froide par des canalisations, on peut créer des courants qui, à leur tour, feront fonctionner une machine thermique...

Dompter la mer

Les premières expériences furent effectuées en 1930 par Georges Claude. Il parvint à alimenter une petite centrale de 22 kW dans la baie de Cuba. Mais les courants marins arrachèrent le tuyau.

Comment disposer de tuyaux de

Cette centrale thermo-marine est le fruit d'une coopération entre l'État d'Hawaii et de deux grandes sociétés américaines. Elle utiliserait de l'eau de mer pour transformer de l'ammoniaque en vapeur. Celle-ci serait alors employée à faire tourner une turbine.

*Détail d'une station OTEC : vous voyez
ici la canalisation d'eau dite chaude.
En fait, elle est prélevée à la surface
de la mer et sa température
atteint quelque 27 °C.
Un centre scientifique flottant pourrait être
alimenté en électricité
par une installation de ce type.*

grand diamètre, afin d'acheminer des quantités d'eau importantes, capables de résister à la mer ? Ce n'était pas possible hier. Les techniques modernes, elles, permettent cet exploit. Aussi, à l'heure actuelle, la centrale thermo-marine est prise tout à fait au sérieux. Elle donne même lieu à d'importantes réalisations, notamment aux États-Unis avec le programme OTEC *(Ocean Thermal Energy Conversion)*.

Au large de la Floride

Une première station expérimentale, OTEC-0, d'une puissance de 10 kW, est entrée en service à Hawaii en août 1979. Quand la technique sera au point, les Américains envisagent de créer toute une gamme de centrales, dont la puissance ira, pour les plus importantes, jusqu'à 200 MW. Les Américains affirment que leurs États du Sud-Est pourraient obtenir une appréciable partie de leur électricité grâce à des centrales thermo-marines implantées au large des côtes de Floride, dans l'Atlantique ou dans le golfe du Mexique !

Les ambitions japonaises ne sont pas moins grandes. Dans le cadre du programme *Sunshine,* adopté en 1977, les Japonais veulent se doter de centrales thermo-marines de 1 à 100 MW. Ils souhaitent aussi les vendre, prêtes à fonctionner, à un certain nombre de pays. Et ils ont déjà un premier client : l'Indonésie.

Le rendement d'une centrale thermo-marine est meilleur lorsque sa source froide est plus froide. On a donc pensé que celle-ci pourrait être constituée par des icebergs remorqués depuis les régions polaires. La difficulté ne vient pas du transport de l'iceberg, mais de l'aménagement que son exploitation exigerait.

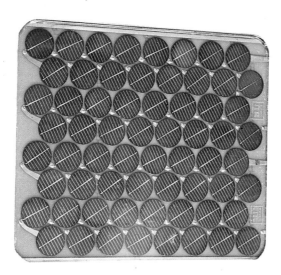

Il suffit d'exposer au Soleil des photopiles pour produire de l'électricité.

Demain, des batteries solaires sur les toits

Depuis 1958, pour fabriquer leur électricité à partir du rayonnement solaire, les satellites disposent d'un outil extraordinaire : la photopile, ou batterie solaire. Mais de quoi s'agit-il ?

Une vraie merveille

Une photopile se présente comme une sorte de jeton, rond ou carré, fait d'une matière dite semi-conductrice, à base de silicium. A l'intérieur de cette substance existent un certain nombre d'électrons libres et très instables qui, sous l'influence du rayonnement solaire, vont s'accumuler sur une des faces de la photopile. Elle devient de ce fait le pôle d'une pile, l'autre face étant le pôle positif.

La tension ainsi produite est relativement faible, de l'ordre du demi-volt. Mais ce n'est pas un problème, car il suffit de monter autant de photopiles que l'on voudra, en série, pour réaliser finalement des panneaux de photopiles. Dans l'espace, sur un mètre carré, les puissances recueillies sont de l'ordre de 120 W. Sur la Terre, elles sont sensiblement plus faibles, car l'atmosphère intercepte une partie du rayonnement solaire.

Hélas, un inconvénient de taille demeure : le prix. Il y a quelques années, un panneau capable de fournir 1 kW revenait à environ 120 000 F. A la même époque, dans une centrale thermique, sans compter le combustible, le kilowatt installé coûtait 3 000 F (et 8 000 F pour une centrale hydraulique qui n'exige pas de combustible).

Sans doute les batteries solaires ne réclament-elles pas elles-mêmes de combustible, mais quelle charge malgré tout ! D'autant plus que les photopiles ne fonctionnent et ne donnent du courant que lorsque le Soleil se trouve relativement haut au-dessus de l'horizon.

Un pari pour l'an 2 000

Cependant, ce lourd handicap commence à évoluer favorablement grâce aux recherches entreprises en France, au Japon et aux États-Unis. Les Américains ont même engagé le pari de *diviser par 40* le prix des batteries solaires. Atteindront-ils cet objectif dans la dernière décennie du XXe siècle ? Beaucoup de techniciens le pensent. Les photopiles feront alors leur apparition sur de nombreux appareils... et les toits de milliers de maisons.

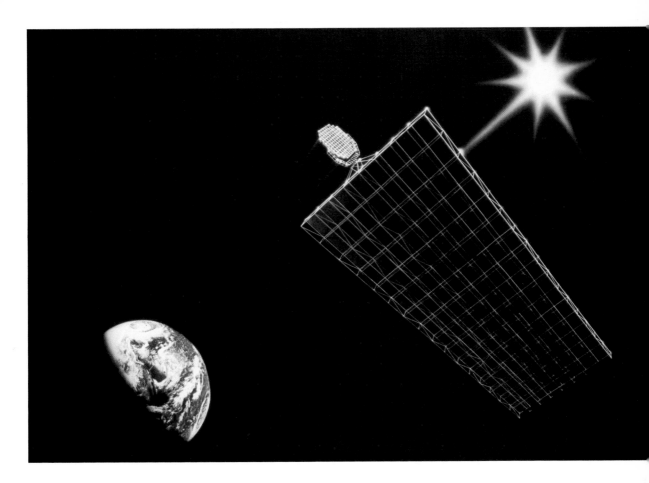

La navette spatiale pourra permettre
d'assembler cette gigantesque centrale.
Les panneaux solaires mesureront
plusieurs kilomètres. Ce n'est qu'un projet !

Ce panneau, installé dans le désert égyptien,
alimente, grâce à ses photopiles,
un récepteur de satellite.

En dépit de leur prix encore élevé,
les batteries solaires sont déjà
intéressantes là où un transport de
courant classique demanderait
l'installation d'une ligne très longue.
C'est souvent le cas en Afrique. Au
Mali, l'hôpital de San est déjà
alimenté par deux groupes de
batteries solaires : l'un est réservé
aux appareils médicaux, l'autre
assure chaque jour le pompage de
quelque 25 000 litres d'eau.

*Au Brésil, cette station distribue
aux automobiles du carburant alcool.*

Les plantes énergétiques entrent en scène

Avez-vous déjà entendu parler de la « biomasse » ? Ce mot savant cache une notion tout à fait familière. Il s'applique en effet à l'ensemble des êtres vivants qui se développent grâce au rayonnement solaire et dont la substance, par conséquent, peut être considérée comme énergétique. Pensez, tout simplement, au bois qui brûle dans la cheminée.

*De la canne à sucre à la pompe !
Vous découvrez ici, de haut en bas et
de gauche à droite, le film des événements.
Il nous conduit de la récolte des cannes
à sucre à leur transport et à leur
compactage. Elles sont ensuite traitées
dans de grandes cuves et permettent,
grâce à la distillation,
une importante production d'alcool.
Naturellement, le sucre
n'est pas perdu pour autant !*

Accroître la biomasse, exploiter au mieux celle qui existe déjà, voilà une bonne façon de consommer indirectement de l'énergie solaire. Mais comment y parvenir ?

Si l'on vous propose de planter des arbres et de brûler leur bois, vous trouverez peut-être qu'il n'était pas nécessaire de parler de biomasse. Et pourtant, si ! Car hier, on se contentait de brûler le bois que l'on trouvait, un bois qui souvent se formait très lentement, alors que demain on plantera des arbres riches en broussailles, à croissance rapide.

Des débuts prometteurs

D'autre part, on utilisera systématiquement les déchets végétaux (brindilles, paille, détritus de toute nature...) qui, hier, ne servaient à rien. Aussi étonnant que cela puisse paraître, il s'agit certainement dans l'immédiat de la meilleure façon de faire appel à l'énergie solaire. Eh, oui ! Vous doutiez-vous que dans un pays comme la France, ces récupérations pourraient permettre, très rapidement, de recueillir chaque année l'équivalent de quelque 5 millions de tonnes de pétrole ?

Au lieu de brûler les végétaux, il est possible aussi de les utiliser pour produire de l'alcool. Au Brésil, par exemple, un million d'hectares ont été plantés en canne à sucre dans ce but. Toutes les automobiles du pays fonctionneront avec une essence qui comportera 20 % d'alcool !...

On sait, par ailleurs, que certains arbres, dont l'euphorbe, ont une sève combustible... ou que la jacinthe d'eau est capable de donner 75 t de méthane à l'hectare. Aux États-Unis, la NASA s'intéresse beaucoup à cette plante qui pousse spontanément dans les canaux et les rivières, surtout en Afrique et en Amérique. Une plante que l'on détruisait autrefois avec de l'arsenic...

Ces cultures présentent cependant un inconvénient : elles immobilisent de vastes espaces pour un rendement assez faible. Mais les ressources de la biologie et les nouvelles espèces qui verront le jour nous réservent sans doute des surprises.

Actuellement la production agricole du monde ne suffit pas à nourrir tous les habitants de la Terre. Mais au XXIe siècle, la situation pourrait être inversée, compte tenu de tous les progrès prévisibles en matière de biologie végétale. Le drame de la sous-alimentation trouverait enfin une solution.

Oklo, au Congo : une mine comme les autres d'où l'on extrait du minerai d'uranium.

Au cœur des centrales nucléaires

De quoi est fait le cœur d'une centrale nucléaire ? D'un gros bloc contenant plusieurs dizaines de tonnes d'uranium en barres.

Au même titre que le fer, l'uranium est un élément dont on trouve des minerais ici ou là dans le monde. Avec ses réserves du Massif Central, la France possède de très loin les plus riches gisements d'Europe. Par ailleurs, beaucoup de terrains anciens, notamment des granits, contiennent de l'uranium.

Physiquement, il s'agit d'un métal très lourd, beaucoup plus lourd que le plomb. Voilà pourquoi il sert parfois à lester la quille des bateaux. Rappelons à ce sujet qu'il n'est absolument pas dangereux d'avoir de l'uranium à proximité de soi.

Une réaction en chaîne...

Cependant, ce métal, s'il est rassemblé en quantité suffisante dans des conditions bien déterminées, donne

La centrale nucléaire de Three Mile Island, aux États-Unis, connut divers incidents en 1979. Elle fit alors la une des journaux dans le monde entier.

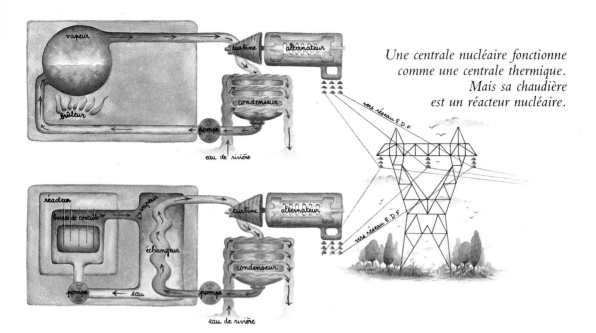

Une centrale nucléaire fonctionne comme une centrale thermique. Mais sa chaudière est un réacteur nucléaire.

lieu à des phénomènes très particuliers : les noyaux de ses atomes se mettent alors à se détruire mutuellement. L'explosion d'un noyau engendre en effet des particules (neutrons) capables de provoquer la destruction d'autres noyaux, qu'elles percuteront... C'est ce que l'on appelle la « réaction en chaîne ». Elle dégage une énergie considérable, 2 millions de fois plus importante que celle fournie par une masse égale de pétrole. Mais elle laisse aussi pour résidu des déchets nucléaires, actifs et dangereux.

...et de l'eau très chaude

Au cours de cette réaction en chaîne, les barres d'uranium sont portées à une température élevée, une circulation d'eau ayant pour mission de les refroidir et d'évacuer la chaleur produite. C'est cette chaleur qui sera utilisée pour créer de l'électricité.

En France, les centrales nucléaires standards ont aujourd'hui une puissance de 900 MW. Si elles fonctionnent 6 600 heures dans une année, elles fournissent une énergie voisine de 6 milliards de kWh. La consommation en électricité des Français est actuellement d'environ 260 milliards de kWh par an. Dans l'immédiat, le programme électronucléaire prévoit une trentaine de centrales dont la puissance pourrait passer de 900 à 1 300 MW.

Ces centrales sont dites à eau pressurisée (PWR, *Pressurised Water Reactor* pour les Américains), car l'eau ressort très chaude (à quelque 370 °C) mais toujours liquide du cœur du réacteur. Elle chauffe l'eau d'un autre circuit qui, elle, est transformée en vapeur et dirigée vers une turbine couplée à un alternateur.

Savez-vous qu'en 1938 les manuels de chimie présentaient l'uranium comme un élément « pratiquement dépourvu d'application pratique » ? Ce métal n'avait donné lieu à aucune métallurgie. Tout au plus les sels d'uranium étaient-ils utilisés pour colorer certains verres...

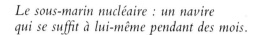
Qu'est-ce qu'un surrégénérateur ?

Les scientifiques distinguent plusieurs variétés (ils parlent d' « isotopes », mot signifiant « d'un même lieu ») d'uraniums. Les deux principaux sont les uraniums 238 et 235, tout simplement parce que le noyau de leur atome comporte respectivement 238 et 235 particules. L'uranium 238 constitue environ 99,3 % de l'uranium naturel, dans lequel on ne trouve que 0,7 % d'uranium 235. Or, c'est essentiellement ce dernier qui entretient la réaction en chaîne.

L'usine de La Hague traite les déchets des usines nucléaires. Ils sont ici immergés dans une « piscine ».

Dans un premier temps, on avait imaginé de faire fonctionner les centrales nucléaires avec de l'uranium naturel. Aujourd'hui, on les alimente avec de l'uranium « enrichi ». Cet enrichissement est réalisé dans des usines dites de séparation isotopique. Pour bien comprendre, prenons des chiffres. A partir de 5 t d'uranium naturel, qui contiennent 4 965 kg d'uranium 238 et 35 kg d'uranium 235, on produit d'une part 4 t d'uranium appauvri (3 995 kg de 238 et 5 kg de 235), et d'autre part 1 t d'uranium enrichi (970 kg de 238 et 30 kg de 235). On parle alors d'uranium enrichi à 3 %. Une

Creys-Malville : il s'agit de la première grosse centrale surrégénératrice du monde.

centrale fonctionne mieux avec cet uranium enrichi, mais pour le produire il a fallu utiliser une quantité d'uranium naturel 5 fois plus grande.

Le principe du surrégénérateur est complètement différent. Il consiste en effet à utiliser l'uranium 235 *et* l'uranium 238. Car ce dernier isotope, en absorbant les neutrons de la réaction en chaîne, peut se convertir en un autre élément, le plutonium. Or le plutonium est capable, au même titre que l'uranium 235, d'entretenir lui-même une réaction en chaîne. Mieux : en prenant de nombreuses précautions, on produira plus de plutonium que l'on ne consommera d'uranium 235. Voilà pourquoi on parle de surrégénérateur : tout en fournissant de l'électricité, il fabrique à partir de l'uranium 238 plus de combustible nucléaire que son fonctionnement n'en réclame !

Le stade expérimental est actuellement dépassé. La première grande centrale surrégénératrice, d'une puissance de 1 200 MW, doit entrer en service en France, à Creys-Malville, en 1984.

Si les 60 000 tonnes d'uranium que contient le sous-sol français étaient utilisées dans des surrégénérateurs, elles produiraient la même énergie que 120 milliards de tonnes de pétrole, soit plus que l'ensemble des actuelles réserves mondiales connues. Cette constatation a fait dire à un homme d'État français : « Nous serons les Arabes de l'uranium... »

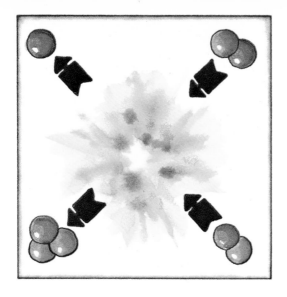

*Des noyaux légers s'agglomèrent
en un noyau plus lourd : c'est la fusion.*

Qu'est-ce que la fusion thermo-nucléaire ?

Pourquoi l'uranium fournit-il tant d'énergie ? Il faut aller chercher la réponse au cœur de son noyau : une force gigantesque y tient rassemblés tous ses constituants. Cette force, en fait, existe au sein de tous les noyaux atomiques, et certains pourraient fournir une énergie encore plus grande que l'uranium.

L'énergie n° 1 de l'univers, celle dont le Soleil et toutes les étoiles tirent leur puissance, nous en offre un excellent exemple. Qu'est-ce qu'une jeune étoile ? Essentiellement une

La galaxie d'Andromède, voisine de la nôtre, accueille des centaines de milliards d'étoiles. Elles représentent autant de réacteurs nucléaires.

masse d'hydrogène. Pourquoi dégage-t-elle autant d'énergie ? Parce que l'hydrogène s'y transforme en hélium. Or, à masse égale, une telle conversion procure 8 fois plus d'énergie que la réaction en chaîne de l'uranium.

Ne pourrions-nous pas faire la même chose sur la Terre ?

Il ne saurait en être question. D'abord, parce que ces réactions se développent avec une grande lenteur. Au sein du Soleil, elles ont mis 5 millions d'années à s'instaurer. Ensuite, la région du Soleil où se déroulent ces réactions est entourée par une enveloppe dont l'épaisseur se chiffre en centaines de milliers de kilomètres.

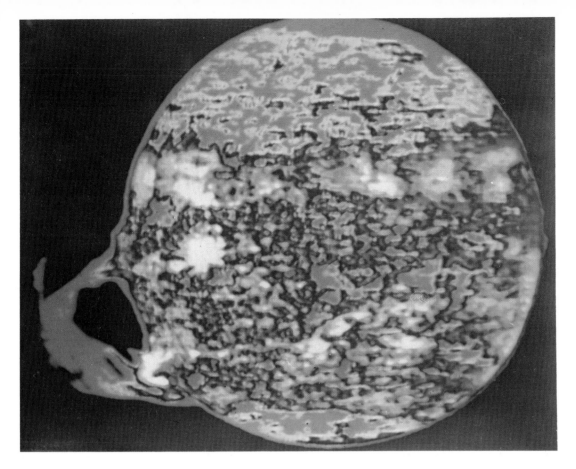

Gros plan sur une éruption solaire.
Au cœur du Soleil règne une température
de l'ordre de 13 000 000 °C. La matière
qui l'entoure est aussi très agitée.

Les scientifiques ont donc cherché une « recette » adaptée aux conditions terrestres. Aujourd'hui, ils la connaissent ! Mais la matière première ne peut être de l'hydrogène ordinaire et, d'autre part, il faut créer 100 millions de degrés et maintenir cette température pendant une seconde.

Lentement, les recherches progressent en ce sens. A l'heure actuelle, le cap des 30 millions de degrés n'a guère été dépassé. Les scientifiques demeurent pourtant confiants. Ils attendent une première expérience concluante vers 1990. Beaucoup d'entre eux pensent que le XXIe siècle verra l'apparition de centrales de fusion thermonucléaire au cœur desquelles de petites étoiles auront été comme domestiquées. L'homme disposera alors d'une source d'énergie pratiquement illimitée.

Les températures des étoiles se chiffrent à certaines périodes en centaines de millions ou en milliards de degrés. Alors, elles ne se contentent pas de transformer leur hydrogène en hélium. Elles engendrent tous les éléments. C'est ainsi que les éléments lourds de l'univers ont été produits. Le fer de votre sang fut un jour fabriqué au sein d'une étoile...

Vers des avions à hydrogène

Ce panorama des énergies d'aujourd'hui et de demain s'achève. Il serait incomplet si nous ne parlions pas de ce super-pétrole que représente l'hydrogène, employé en tant que combustible. Et quel combustible ! Si 1 gramme de pétrole peut fournir 11 200 calories, 1 gramme d'hydrogène en donne 30 000.

Une énergie concentrée

Mais attention, l'hydrogène n'est pas vraiment une source d'énergie, puisque ce corps n'existe pas à l'état naturel. Sur la Terre, nous le trouvons dans l'eau, qu'il faut donc décomposer si nous voulons le libérer. Or cette opération exige une énergie considérable, égale à celle que fournit la combustion de l'hydrogène obtenu.

Le bilan est donc nul ? D'un pur point de vue énergétique, oui. En revanche, l'hydrogène représente une énergie ultra-concentrée dont

Comme les étages supérieurs de la fusée Saturn V, ou de la Navette, la Centaur — qui surmonte ici une fusée Atlas — fonctionne à l'hydrogène. Ce combustible fournit actuellement les meilleures performances pour une masse donnée, ce qui est essentiel pour un engin spatial.

Il ne faut pas avoir peur de manquer d'énergie. Les visiteurs qui se pressent dans cette exposition américaine découvrent, comme vous venez de le faire, toutes les ressources dont nous disposons : gaz, pétrole, vent, etc. Le tout est de choisir, pour chaque application, l'énergie idéale.

l'emploi, notamment dans le domaine des transports, a de grands avantages.

Vous savez sans doute que les étages supérieurs des fusées performantes — la *Saturn V* américaine comme le lanceur européen *Ariane* — fonctionnent à l'hydrogène. La navette a également été dotée de moteurs à hydrogène.

Léger mais très encombrant

Par ailleurs, on parle beaucoup de l'avion à hydrogène. Les recherches semblent devoir aboutir dans un avenir proche. Au lieu de transporter 80 t de kérosène, un appareil pourrait se contenter de 30 t d'hydrogène. Ce gain de poids lui permettrait de transporter davantage de passagers, d'être plus rapide ou d'accroître son rayon d'action.

Des problèmes demeurent cependant. L'hydrogène liquide a en effet une faible densité (0,07 seulement), et il exige donc des réservoirs légers mais énormes. Adopteront-ils la forme de deux longs cylindres fixés parallèlement au fuselage ?

D'autre part, l'hydrogène liquide doit être maintenu à une température qui ne dépasse pas − 253 °C. Cet impératif semble donc, a priori, limiter son usage, et notamment pour la propulsion des automobiles. Certaines solutions techniques sont actuellement à l'étude, mais il est encore trop tôt pour se prononcer.

Il y a encore vingt ans, l'emploi de l'hydrogène apparaissait très dangereux : les Américains rencontraient beaucoup de difficultés pour mettre au point leur première fusée à hydrogène, la *Centaur*. Aujourd'hui, l'hydrogène est si sûr qu'on le logera dans la soute de la navette spatiale pour alimenter les PAM (en français, Périgée-Apogée-Moteur) destinés, depuis le voisinage de la Terre, à desservir l'orbite géostationnaire...

Albert Ducrocq raconte

Références photographiques

p. 8 h : Archives Nathan ; p. 8 b : Vloo, Schall ; p. 10 h : Roger-Viollet ; p. 10 b : Charmet ; p. 12 : Charbonnages de France ; p. 14 h : Charbonnages de France ; p. 14 b : Archives Nathan ; p. 15 : Charbonnages de France ; p. 16 h : extrait de « Tintin au Pays de l'or noir », Hergé, Casterman ; p. 17 : Elf Aquitaine ; p. 18 h : PPP ; p. 18 b : Elf Aquitaine ; p. 19 : Magnum, Burri ; p. 20 h : Total ; p. 20 b : Elf Aquitaine ; p. 21 : C. Barradas, Mobil ; p. 22 h : Roger-Viollet ; p. 22 b : Esso ; p. 24 : Elf Aquitaine ; p. 25 : Gaz de France, Gautschi ; p. 26 : Esso ; p. 27 g : PPP ; p. 27 d : Esso ; p. 28 : Charmet ; p. 29 : Sygma, Laffont ; p. 30 h : Sodel, Brigaud ; p. 30 b : Sodel, Baranger ; p. 32 h : Giraudon ; p. 32 b : Rapho, Donnezan ; p. 33 : Sygma, Keller ; p. 34 h : Vloo, Méry ; p. 34 b : Vloo, Tesson ; p. 35 : CNEXO ; p. 36-37 : Sygma, Proust ; p. 38 h : Sodel, D.E.R. ; p. 38 b : Rapho, Sérailler ; p. 40 h : Charmet ; p. 40 b : Dagli Orti ; p. 41 : Sygma, Tiziou ; p. 42-43 : Elf Aquitaine ; p. 44 : Charmet ; p. 45 : Rapho, Mac Coy ; p. 46-47 : CNEXO ; p. 48 : Sodel, Brigaud ; p. 49 h : PPP ; p. 49 b : Rapho ; p. 50-51 : Ambassade du Brésil sauf 50 mh : Rapho, Gerster ; p. 52 h : CEA ; p. 52 b : Sygma, Allan ; p. 54 h : ECP Armées ; p. 54 b : Sodel, Hermann ; p. 55 : Sodel, Baranger ; p. 56-57 : PPP ; p. 58-59 : PPP.

Illustrations des encadrés :
Daniel Le Noury

Illustration de couverture :
Michael Welply

Recherches iconographiques :
Brigitte Richon

Imprimé sur les presses de Bernard Neyrolles Imprimerie Lescaret à Paris, le 10 juin 1983
N° d'éditeur : X 31389 — Dépôt légal : Juin 1983